Este libro pertenece a

_____

Soñé que era
una bailarina

La Clase de Danza

una historia real de la infancia de Anna Pavlova
ilustrada con cuadros de Edgar Degas

SerreS

Son intensos los
primeros recuerdos de
mi vida y me trasladan
a la época en que vivía
con mi madre en un
pequeño piso de la
ciudad.

Vista de Saint-Valéry-sur-Somme

Yo era su única hija, y mi padre había muerto dos años después de nacer yo. Estábamos solas en el mundo. Éramos pobres. Muy pobres.

Sin embargo, en
ocasiones especiales,
nunca se olvidaba mi
madre de sorprenderme
con algún regalo.
Todavía recuerdo la
ilusión que sentí cuando,
para celebrar mi
cumpleaños, me dijo
que íbamos a ir al teatro.

En la sombrerería

1882
degas

Yo no había ido jamás al teatro, así que no paré de preguntarle a mi madre qué era lo que íbamos a ver.

En lugar de contestarme, ella me contó mi cuento de hadas favorito, *La Bella Durmiente*, que, naturalmente, yo había oído de sus labios innumerables veces.

Bailarina (detalle)

Mientras nos dirigíamos al teatro cogidas del brazo, sentí una felicidad que me resulta imposible describir.

"Estás a punto de entrar en el reino de la magia", me dijo ella mientras caminábamos por las oscuras calles hacia el teatro, aquel lugar desconocido y misterioso para mí.

La música de *La Bella Durmiente* es de nuestro gran Tchaikovsky. Nada más comenzar a tocar la orquesta me quedé muda, extasiada. Sentía por primera vez en mi vida la llamada de la Belleza.

El violinista, estudio para *La lección de danza*

Pero cuando el telón se levantó y dejó ver el gran salón dorado de un maravilloso palacio, no pude contener un grito de admiración.

Bailarina en escena (detalle)

Recuerdo que me cubrí la cara con las manos cuando apareció en escena la vieja bruja montada en un carro tirado por ratas.

Luego, en el segundo acto, un verdadero enjambre de donceles y de muchachas bailaron un preciosísimo vals.

El ballet de "Robert le Diable" (detalle)

"¿No te gustaría bailar así?", me preguntó mi madre sonriendo.

"Sí," respondí, "pero me gustaría más bailar como la mujer tan guapa que hace de princesa. Un día yo seré esa princesa y bailaré en este mismo teatro."

Bailarinas en rosa y verde (detalle)

Mi madre sólo murmuró en tono cariñoso que era una boba. Nunca habría imaginado que yo acababa de concebir una ilusión que me serviría de guía el resto de mi vida.

Salimos del teatro, pero yo todavía continuaba en mi sueño. De regreso a casa seguía imaginándome el día en que haría mi primera aparición en escena en *La Bella Durmiente*.

Aquella noche soñé que era una bailarina y que pasaba el resto de mi vida bailando como una mariposa alrededor de la maravillosa música de Tchaikovsky.

Me gusta recordar aquella noche.

Ensayando en el escenario (detalle)

Anna Pavlova en La Fille Mal Gardée

Acerca de Anna Pavlova

De origen pobre, nacida en las afueras de San Petersburgo, Rusia, Anna Pavlova
(1881 – 1931) decidió dedicarse al ballet tras asistir con su madre a una
representación de *La Bella Durmiente* en el Teatro Mariinsky. En aquella época el
público prefería las potentes bailarinas italianas, por lo que la jovencita Ana, con sus
frágiles tobillos y su fino cuerpo, no parecía tener una carrera prometedora. Sin
embargo, tras años de ensayo y de perseverancia, fue por fin admitida en la Escuela
Imperial de Danza.

Ya antes de obtener el título en la Escuela, Pavlova, con grandes dosis de ingenio y
de esfuerzo, había empezado a hacer de su debilidad uno de sus principales aliados.

Modificó sus zapatillas de ballet cosiéndoles una pieza de cuero, con lo que consiguió poseer más resistencia. (Hoy en día las zapatillas de ballet son muy parecidas a las que adaptó Pavlova). Y con la flexibilidad de su cuerpo y sus delicados gestos aportó a su estilo de danza una expresividad que el público supo valorar.

Con el paso del tiempo, Pavlova llegó a ser primera bailarina del Teatro Mariinsky, cumpliendo así el sueño de su infancia. Hizo grandiosas giras por todo el mundo —se cuenta que recorrió más de 500.000 kilómetros en quince años y que visitó 4.000 ciudades— representando casi siempre la más querida obra de su repertorio: *"La muerte del cisne."*

En 1931, Pavlova enfermó de pleuresía, una dolencia pulmonar. Los médicos podrían haber salvado su vida mediante una operación, aunque habría quedado incapacitada para seguir bailando. Pavlova no aceptó. Se dice que sus últimas palabras fueron: "Dejad preparado mi vestido de cisne". Aquella noche, en el teatro donde ella representaba cada día *"La muerte del cisne"*, la orquesta tocó, el telón se abrió y el escenario vacío quedó iluminado por un único foco.

Acerca de Edgar Degas
Edgar Degas (1834 – 1917) fue un pintor impresionista francés creador de multitud de cuadros, dibujos, pinturas al pastel, esculturas y fotografías. Entre sus motivos de inspiración preferidos se encuentran las bailarinas del Teatro de la Ópera de Paris, que aparecen en cerca de mil quinientas de sus composiciones. Degas se identificaba plenamente con la disciplina de las sesiones de ensayo de ballet, así como con la magia de las representaciones.

Autorretrato

Degas nunca trabajó con Anna Pavlova y seguramente ambos jamás se conocieron. Es posible que él asistiera a una de sus representaciones en París, pero en todo caso muchos años después de haber creado la mayor parte de sus obras dedicadas a la danza. A pesar de que sus historias han recorrido caminos diferentes, las palabras de Pavlova y las imágenes de Degas transmiten una misma pasión: el hipnótico embrujo del ballet.

Este relato ha sido extraído de la autobiografía de Anna Pavlova, 1922, *Pages of My Life.*

La fotografía de Anna Pavlova del interior de este libro (en *La Fille mal gardée*, de un programa de mano, 1910), así como la fotografía de Pavlova de la contraportada (en "La muerte del cisne", hacia 1910) pertenecen a la Colección de Teatro del Museum of the City de Nueva York. El resto de la obras reproducidas en este libro son de Edgar Degas (1834 – 1917) y pertenecen a los fondos del Metropolitan Museum of Art, excepto las reseñadas aparte.

PORTADA:
Bailarina en verde (detalle), pastel sobre papel, 72,2 x 38,1 cm. , hacia 1883. Legado de Joan Whitney Payson, 1975 1976.201.7

Clase de Danza. Óleo sobre lienzo, 19,7 x 21 cm., probablemente de 1871. Colección H. O. Havemeyer, legado de la señora H. O. Havemeyer, 1929 29.100.184

Vista de Saint-Valéry-sur-Somme. Óleo sobre lienzo, 51 x 61 cm., 1896-98. Colección Robert Lehman, 1975 1975.1.167

Mujer planchando. Óleo sobre lienzo. 54,3 x 39,3 cm., 1873. Colección H. O. Havemeyer, legado de la señora H. O. Havemeyer, 1929 29.100.46

Bailarinas ensayando en la barra

En la sombrerería. Pastel sobre papel tramado gris claro, 75,6 x 85,7 cm., 1882. Colección H. O. Havemeyer, legado de la señora H. O. Havemeyer, 1929 29.100.38

Tres bailarinas preparándose para la clase (detalle). Pastel sobre papel tramado color crema, 54,6 x 52,1 cm., posterior a 1878. Colección H. O. Havemeyer, legado de la señora H. O. Havemeyer, 1929 29.100.558

Bailarina (detalle) Pastel, carboncillo y tiza sobre papel 31,7 x 49,5 cm., hacia 1880. De la colección de Walter H. y Leonore Annenberg.

Cantante del Café-concert. Pastel sobre papel verjurado azul claro, 60,3 x 46,3 cm., hacia 1884. Legado de Stephen C. Clark, 1960, 61.101.7

El violinista. estudio para *La lección de danza.* Pastel y carboncillo sobre papel verde, 39,1 x 29,8 cm., hacia 1878-79. Rogers Fund., 1918 19.51.1

Bailarina en escena (detalle) Témpera sobre base de grafito en papel amarillo sobre tabla, 17,8 x 22,9 cm., hacia 1877. Colección Lesley y Emma Sheafer, legado de Emma A. Sheafer, 1973 1974.350.30

El ballet de "Robert le Diable" (detalle). Óleo sobre lienzo, 66 x 54,3 cm., 1871. Colección H. O. Havemeyer, legado de la señora H. O. Havemeyer, 1929 29.100.553

Bailarinas en rosa y verde (detalle) Óleo sobre lienzo, 82,2 x 75,6 cm., hacia 1890. Colección H. O. Havemeyer, legado de la señora H. O. Havemeyer, 1929 29.100.42

Niña ensayando en la barra. Tiza negra realzada con tiza blanca sobre papel verjurado rosa, 30,8 x 29,2 cm., hacia 1878-80. Colección H. O. Havemeyer, legado de la señora H. O. Havemeyer, 1929 29.100.943

Examen de danza (detalle), Óleo sobre lienzo, 83,8 x 79,4 cm., probablemente de 1874. Legado de la señora Harry Payne Bingham, 1986 1987.47.1

Ensayando en el escenario (detalle). Pastel sobre dibujo a tinta en papel color crema, colocado sobre cartulina satinada y montado sobre bastidor, 54,3 x 73 cm., 1874. Colección H. O. Havemeyer, legado de la señora H. O. Havemeyer, 1929 29.100.39

Autorretrato. Óleo sobre papel, montado en bastidor, 40,6 x 34,3 cm., posiblemente de 1854. Legado de Stephen C. Clark, 1960, 61.101.6

Bailarinas ensayando en la barra. Técnica mixta sobre lienzo, 75,6 x 81,3 cm., 1877. Colección H. O. Havemeyer, legado de la señora H. O. Havemeyer, 1929 29.100.34

Título original: *I dreamed I was a ballerina*
Adaptación: Miguel Ángel Mendo
Copyright © 2001 Metropolitan Museum of Art
Primera edición en lengua castellana para todo el mundo
© 2002 Ediciones Serres, S. L.
Muntaner, 391 – 08021 Barcelona
ISBN: 84-8488-062-1
Fotocomposición: Editor Service, S. L., Barcelona
Producido por el Departamento de publicaciones especiales del Metropolitan Museum of Art
Fotografías realizadas por el estudio de arte fotográfico del Metropolitan Museum of Art.